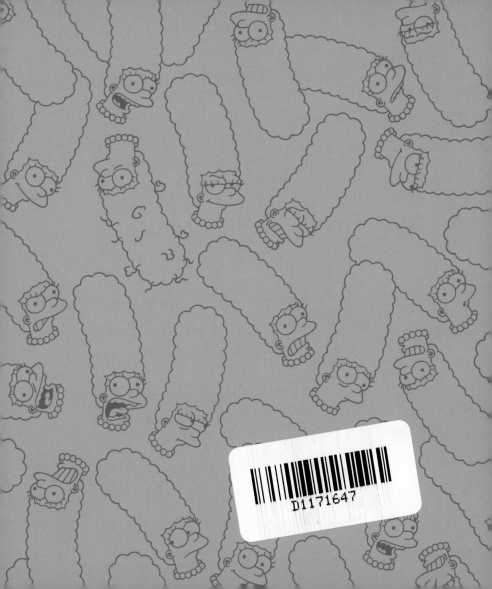

LE LIVRE DE MARGE

THE SIMPSONS™ LIBRARY OF WISDOM
THE MARGE BOOK

Publisher : Matt Groening
Creative Director : Bill Morrison
Managing Editor : Terry Delegeane
Director of Operations : Robert Zaugh
Art Director : Nathan Kane
Special Projects Art Director : Serban Cristescu
Production Manager : Christopher Ungar
Assistant Art Director : Chia-Hsien Jason Ho
Production/Design : Karen Bates, Nathan Hamill, Art Villanueva
Staff Artist : Mike Rote
Administration : Sherri Smith, Pete Benson
Legal Guardian : Susan A. Grode

THE SIMPSONS™ LIBRARY OF WISDOM

Conceived and Edited by Bill Morrison
Book Design, Art Direction, and Production by Serban Cristescu
Contributing Editor : Terry Delegeane

Contributing Artists :
Karen Bates, John Costanza,
Serban Cristescu, Dan Davis, Mike Decarlo, Istvan Majoros, Scott McRae, Bill Morrison,
Kimberly Narsete, Kevin M. Newman, Mike Rote, Robert Stanley, Erick Tran

Contributing Writers :
Mary Trainor, Scott M. Gimple

Special Thanks to :
N. Vyolet Diaz, Deanna MacLellan, Helio Salvatierra, Mili Smythe, and Ursula Wendel

Version française :
Traduction – Adaptation – Mise en page
I.D.O. Paris21
Oliver, Max & co.
www.ido.fr

Imprimé en France en avril 2010 - L53025
Dépôt légal : mai 2010

LE LIVRE DE MARGE

Maggie

Fetjaine

LE TOP 40 DE MARGE

1. LES BICYCLETTES POUR DEUX.

2. LES CANAPÉS POUR CINQ.

3. L'EUPHORIE DU CÉLERI.

4. LA VOLUPTÉ DU NAVET.

5. LA JOIE DES PETITS POIS.

6. LES SÉRIES TÉLÉ À SUSPENSE.

7. LA JOIE DE VIVRE DE BART.

8. LE JE NE SAIS QUOI DE LISA.

9. LES PETITES FESSES DE MAGGIE.

10. LES GROSSES FESSES DE HOMER !

11. LE MORDILLAGE DE COUDE.

12. LES PETITS CHAPEAUX.

13. LES CÂLINS.

14. LE TANG.

15. LE PEPSI FAIT MAISON.

16. LES PÂTISSERIES INDUSTRIELLES.

17. L'ÉTAT DE L'UTAH.

18. RINGO STARR.

UNE JOURNÉE DANS LA VIE DE MARGE

MARDI

6 h 30 – Le réveil de Homer sonne. Je me lève. Homer appuie une première fois sur le bouton Sommeil (il recommencera six fois).

6 h 45 – Préparation du petit déjeuner pour toute la famille. Des ChocoCrunch Plus pour Bart, du muesli bio pour Lisa et une purée de banane pour Maggie.

7 h 00 – J'accompagne Bart et Lisa à l'arrêt de bus. En chemin, je fais promettre à Bart de ne faire aucune bêtise, sottise ou ânerie à l'école.

7 h 30 – Après avoir envoyé Homer au travail avec un sandwich et un bavoir intégral, j'installe Maggie dans sa balancelle devant le DVD de piano Bébé Feinstein. Douche.

7 h 45 à 8 h 45 – Séchage de cheveux.

9 h 15 – Courses au Méga-Maxi-Plus-Marché. Je profite des échantillons gratuits pour prendre mon petit déjeuner.

11 h 00 – Chargement de la voiture. J'attache le paquet de 400 couches "Anti-Fuites Extra" sur le toit et dispose les bouteilles de jus de fruit dans le coffre pour bien répartir le poids.

12 h 00 – Après avoir fait manger Maggie, je déjeune de quelques toasts Melba et de pêches Melba. Et je me demande ce qu'a pu devenir Melba Moore.

12 h 30 – Début de mon ménage quotidien (aspirateur, nettoyage de la salle de bain, dépoussiérage des plinthes et extraction des chewing-gums collés sous la table du salon, à la place de Bart).

15 h 00 – Coup de téléphone de l'école. Bart a transformé le bureau du principal Skinner en volière, en utilisant du beurre de cacahuète et en laissant toutes les fenêtres ouvertes. Je leur dis que c'est impossible, car Bart m'a bien promis qu'il ne ferait aucune bêtise, sottise, ou ânerie aujourd'hui. Ils qualifient cela de "farce".

16 h 00 – Pendant que Lisa fait ses devoirs, j'envoie Bart dans sa chambre et manifeste ma colère d'un murmure réprobateur. Je prépare ensuite des enchiladas, selon la recette du "Livre de cuisine de Jay Ward".

17 h 30 – Homer rentre du travail, je l'informe de la mauvaise blague de Bart. Très énervé, il monte le voir. Peu après, je les entends tous les deux faire un "concours de rots".

18 h 00 – Dîner. Personne ne me complimente sur mon plat, mais leur façon de se gaver me suffit comme remerciement.

19 h 00 – À ma grand surprise, Bart fait la vaisselle. Je l'embrasse et pleure pendant quatre minutes (je le sais car il a tout chronométré avec le micro-ondes). Je prie en silence pour que mon sentiment de culpabilité garde mon fils sur le droit chemin, ou au moins pour qu'il échappe aux autorités.

20 h 00 – On regarde en famille "Duel à mort de Stars". On peut dire ce qu'on veut sur Britney Spears, mais cette petite chose a du cran !

21 h 00 – Homer met Maggie et Bart au lit pendant que je lis à Lisa "Une brève histoire du temps" de Stephen Hawking. À un moment donné, je crois prendre conscience de la nature infiniment complexe de l'univers, cette merveilleuse machine cosmique... Mais en fait, c'est juste les enchiladas qui ne passent pas.

21 h 48 – Câlin avec Homer sur le canapé. Je me retrouve coincée sous lui quand il s'endort.

22 h 34 – Enfin, une pub pour les "Donuts Prémâchés de Krusty" réveille Homer. Je me libère. Homer décide de se lever à l'heure demain pour avoir le temps de passer au Krusty Burger.

23 h 04 – J'avance l'alarme du réveil d'une heure pour que Homer puisse aller acheter ses donuts avant le travail. Je serai réveillée plus tôt, mais j'aurai une heure de plus pour regarder les émissions matinales à la télé !

23 h 30 – Une prière pour ma famille, mon pays, mon monde, et un nouveau bon film avec Meg Ryan. Avant de fermer les yeux, je regarde les plinthes : elles sont parfaitement propres. C'était une bonne journée.

Petite histoire des femmes de la

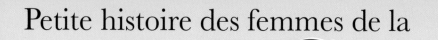

famille Bouvier

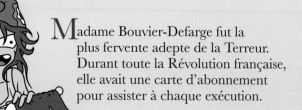

Madame Bouvier-Defarge fut la plus fervente adepte de la Terreur. Durant toute la Révolution française, elle avait une carte d'abonnement pour assister à chaque exécution.

Le Dr Margot Escargot Maître de Bouvier fut la chirurgienne la plus incompétente de France. Elle est restée célèbre pour avoir brisé la clavicule de Napoléon au cours d'un examen de routine.

Ennui Bouvier a fondé un courant de peinture de la Belle Époque, l'inexpressionnisme. Un style mou qu'elle décrivait elle-même en ces termes : "Et alors ? À quoi bon ?".

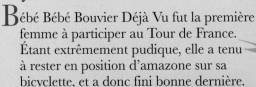

Bébé Bébé Bouvier Déjà Vu fut la première femme à participer au Tour de France. Étant extrêmement pudique, elle a tenu à rester en position d'amazone sur sa bicyclette, et a donc fini bonne dernière.

Têtue et acariâtre, Fifi Bouvier Au Jus devint un symbole de la Résistance française en refusant de déplacer sa Citroën qui bloquait le passage des tanks de la Wehrmacht quand ils sont entrés dans Paris.

Brigitte Bidet-Bouvier était danseuse dans la célèbre discothèque Dijon Poupon A-Go-Go, berceau de nombreuses modes comme le Twist Iti, le Disco Chon d'Inde et le Madison sonne.

Edwina Bouvier ("la grande Eddie") et sa fille Edwina ("la petite Eddie") sont devenues célèbres lorsque le film documentaire de 1975 *Les Jardins pris* a révélé leur vie misérable de recluses dans un hôtel particulier de Springfield.

Jacqueline Ingrid Gurney Bouvier est la veuve de Clancy Bouvier, qui fut l'un des premiers stewards.

Patty Bouvier est la seule Bouvier ouvertement lesbienne, bien que certaines rumeurs aient circulé au sujet d'Ennui Bouvier (comme toujours, sa seule réaction fut : "Et alors ?").

Selma Bouvier-Terwilliger-Hutz-McClure-Simpson est la détentrice officielle du record de maris de la famille Bouvier (ayant battu feu Geneviève Bouvier-Papier-Mâché-Macramé d'un mariage).

Marge Bouvier Simpson est célèbre pour ses chamallows.

Même si Marge répète sans cesse à Homer et aux enfants qu'elle les aime fort (toutes les trois heures en moyenne), elle fait aussi de son mieux pour le prouver dans les actes ! Voici quelques exemples des

petites attentions de Marge pour sa famille adorée !

1. Elle fabrique des brochettes factices mais réalistes (avec du tofu et du jus de betterave), pour que Lisa ne se sente pas exclue pendant les barbecues.

IMPLOSION DU COUVENT DE LA VIERGE À LA PEINE ÉTERNELLE (QU'UNE VIEILLE NONNE AVAIT SCULPTÉ AVEC UNE CUILLÈRE ET LA FOI !)

EXPLOSIONS, IMPLOSIONS & POURSUITES

2. Elle enregistre les implosions d'immeubles et les courses poursuites de police télévisées pour Homer et Bart.

3. Elle garde toujours en réserve un stock de tétines, qu'elle "prépare" pour Maggie.

4. Elle achète et emballe les cadeaux de Noël des enfants pour Homer.

5. Elle achète et emballe les cadeaux de Noël de Homer pour les enfants.

6. Elle achète et emballe les cadeaux de Noël que les enfants et Homer lui offrent.

7. Elle repasse les pages des cahiers de Lisa pour qu'elles soient bien lisses.

8. Elle prévoit toujours un peu de pâte en plus quand elle fait des cookies.

9. Elle fait des montages spéciaux du jeu télévisé "Jeopardy !", en gardant uniquement les questions sur l'alcool et les sandwiches (pour donner à Homer l'impression d'être intelligent).

10. Elle a en permanence un stock de papier mâché pour fabriquer un volcan (en cas de devoir de science de dernière minute).

CETTE BOISSON ALCOO-LISÉE EST OBTENUE PAR FERMENTATION ET FABRIQUÉE À BASE D'EAU, DE MALT ET DE HOUBLON. JE SUIS ? ... JE SUIS ?

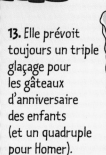

11. Elle se rend régulièrement dans un état voisin pour acheter de la Duff au beurre de cacahuète (la bière préférée de Homer, qui n'est plus distribuée à Springfield).

12. Elle met un costume de fée quand elle va récupérer les dents de lait sous l'oreiller (au cas où les enfants se réveilleraient).

13. Elle prévoit toujours un triple glaçage pour les gâteaux d'anniversaire des enfants (et un quadruple pour Homer).

Comment faire votre mari

2 heures de sieste dans le hamac

Valable jusqu' au 22/12/08

(non cumulable avec d'autres offres)

1) Préparez des bonus ! Scotchez des coupons faits maison sur des balles de tennis ("Bon pour ton plat préféré", "Bon pour quatre heures ininterrompues de télé "). Puis lancez les balles sur le toit, ainsi que des barres chocolatées et des DVD de bêtisiers du sport. Votre mari se fera un plaisir d'aller inspecter les gouttières !

2) Soyez sport ! Installez un tableau d'affichage du score, un chronomètre et un panier de basket pour envoyer les débris à travers. Faites du nettoyage de gouttière un sport en soi. Réunissez-vous avec les autres épouses du quartier et organisez un championnat !

3) Essayez le commerce équitable ! Donnez un sac poubelle à votre mari et dites-lui que pour toutes les saletés dégagées des gouttières, vous lui donnerez en échange le même poids en cookies, en chili ou en sandwichs.

4) Jouez la victime ! Juste avant que votre mari ne rentre, faites comme si vous étiez tombée en essayant de nettoyer les gouttières vous-même. Quand il se précipite vers vous, relevez-vous en disant : "Ça va, je voulais juste nettoyer les gouttières. T'en fais pas pour moi...". Pleurez éventuellement. Même après une longue journée de travail, il est possible que votre mari monte immédiatement sur le toit. Et en plus, il vous invitera peut-être au restaurant !

pour inciter à nettoyer les gouttières !

5) Pour motiver votre mari, faites de l'échelle un endroit attractif ! Installez des enceintes et une télé pour regarder les matches, ainsi que des appareils de massage des pieds à l'eau chaude sur chaque échelon. Enfin, prévoyez un panier plein de bombes à eau au sommet !

L'HORREUR HIVERNALE :
La tête trouée par une stalactite de glace !

TEMPÊTE DE NEIGE À SPRINGFIELD !

6) La peur est votre amie ! Laissez traîner des coupures de journaux décrivant la reproduction des moustiques porteurs du virus du Nil dans les gouttières pleines d'eau stagnante. Autres articles utiles : les 150 morts causées chaque année par la chute de stalactites de glace, ou pourquoi les quartiers aux gouttières non entretenues attirent les gangs et autres criminels. Semez la terreur ! Vos gouttières seront impeccables !

les 20 étapes *du* mariage

LA GÊNE   LA SUSPICION   LE DÉSESPOIR   LA HONTE   L'INCRÉDULITÉ

LE DÉSIR   LE CHAGRIN   LA SÉRÉNITÉ   LA PANIQUE   LA COLÈRE

Ces étapes reflètent les différents sentiments que l'individu marié peut ressentir envers sa moitié. Exprimer et accepter ces sentiments fait partie du processus d'insensibilisation (également appelé "mariage").

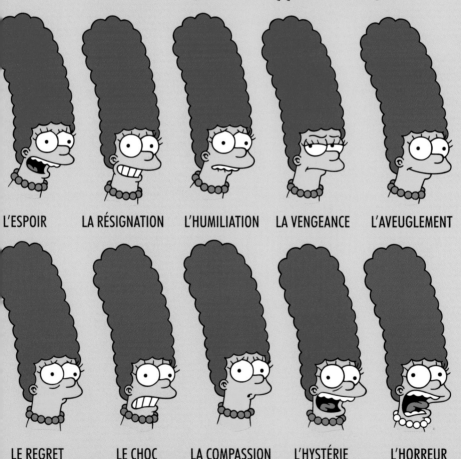

L'ESPOIR   LA RÉSIGNATION   L'HUMILIATION   LA VENGEANCE   L'AVEUGLEMENT

LE REGRET   LE CHOC   LA COMPASSION   L'HYSTÉRIE   L'HORREUR

LES CHRONIQUES DE SPRINGFIELD

La vie secrète de la femme d'Homer

EMBRASSE-MOI, MON AMOUR ! QUE CE BAISER M'ACCOMPAGNE TOUT AU LONG D'UNE JOURNÉE TERNE ET MONOTONE !

TOUTES LES FEMMES AU FOYER CONNAISSENT CE SENTIMENT... QUAND LE MARI AIMÉ PART AU TRAVAIL, ET LES ADORABLES ENFANTS À L'ÉCOLE... C'EST ALORS QUE S'INSTALLE L'INSIDIEUX TRAIN-TRAIN DE LA ROUTINE...

JE MOURAIS D'ENVIE DE QUITTER LA PRISON DOMESTIQUE DE MON FOYER.

PFFFF

DANS L'APRÈS-MIDI, INSTALLÉE SUR LE CANAPÉ AVEC UN ROMAN À L'EAU DE ROSE, JE ME SENTAIS BIEN SEULE...

SI SEULEMENT JE POUVAIS VIVRE DES AVENTURES PALPITANTES, COMME LES HÉROÏNES DE CES LIVRES...

QUAND SOUDAIN, LE SON DÉLICIEUX DE RIRES FÉMININS VINT ME TIRER DE MA TORPEUR...

HI HI HI !

HA HA HA !

CES RIRES VENAIENT DE LA MAISON DE MA VOISINE, RUTH POWERS...

MMMH. ELLES ME SEMBLENT BIEN FRIVOLES, POUR UN APRÈS-MIDI DE SEMAINE.

C'ÉTAIT LA RÉUNION HEBDOMADAIRE CHEZ RUTH POWERS DU CLUB LE PLUS HUPPÉ DE EVERGREEN TERRACE : LE CERCLE DE LECTURE POUR DAMES RAFFINÉES.

TU ES PILE À L'HEURE, LUANN.

COMME TOUJOURS !

OH LÀ LÀ ! C'EST *MARTHA QUIMBY,* LA PREMIÈRE DAME DE SPRINGFIELD !

ELLES ONT TOUTES L'AIR DE BIEN S'AMUSER CHEZ RUTH POWERS ! SI SEULEMENT ON ME PROPOSAIT DE REJOINDRE LE CLUB...

À SUIVRE...

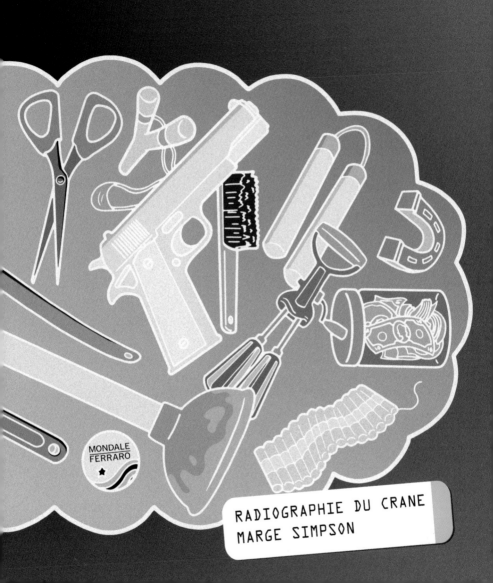

RADIOGRAPHIE DU CRANE
MARGE SIMPSON

LE PROGRAMME TÉLÉ *de*

	14 h 00	14 h 30
OOH !	**LES DÉGÂTS DES DÉBATS** Jacasseries.	**LES DOSSIERS À CRAN** Pleurnicheries.
OUH LÀ !	**LES PLATS EN PÉRIL** L'animateur Bob Beeler restaure les plus vieux plats du monde.	**NOUVEAU LOOK NOUVELLE VIE** Émission de relooking.
hé !	**SMITH & WESSON** *(série policière)* Nos héros subissent une opération de chirurgie esthétique, car l'audience s'affaisse.	
COUIC !	**EN GRAS ET SOULIGNÉ** *(soap opera)* Les prix de l'immobilier s'effondrent lorsqu'une famille d'*Italiques* s'installe dans le quartier.	
GASP !	**LA DYNASTIE DE SANTA DALLAS** *(soap opera)*	**LES JEUNES RÉPUBLICAIN** *(soap opera)*
EURK	**FILM : UNE VIE D'ENNUI** *(drame)* Basé sur l'histoire vraie d'une jeune fille qui s'ennuie dans une banlieue tranquille.	
AAH !	**À MALIN, MALIN ET DEMI** *(sitcom)*	**LES DEUX COPAINS** *(sitcom)*
¡EH!	**¿DÓNDE ESTÁ EL BAÑO?** *(débat)*	**¿QUÉ?** *(sous-titré)*

Marge pour l'après-midi

15 h 00	15 h 30
DE QUOI FOUETTER UN CHAT, AVEC ITCHY & SCRATCHY Violence et insolence.	**SPRINGFIELD EN DIRECT** Les indiscrétions de Kent Brockman.

FILM : L'IMPOSSIBLE MONSIEUR PÉPÉ *(comédie)*
Quiproquos en série lorsqu'une riche héritière doit héberger son grand-père.

DRÔLE DE PANNE
Charlie, le patron des trois héroïnes, reste injoignable par téléphone.

IMMATURES ET HYPERACTIFS *(soap opera)* Jason, Julie et Josh parlent à Jessica, Justin et Jesse de Jordan et Jennifer.

JUGE CONSTANCE HARM *(série juridique)* La juge demande le maximum pour éviter des audiences minimum.

OH NON PAPA, PAS ÇA, JE T'EN PRIE ! Le père d'une jeune fille s'habille hyper trop mal, quoi.

LES TROIS AMIS *(sitcom)*	**TROP C'EST TROP** *(sitcom)*
SEÑOR DING-DONG *(telenovela)*	**¡NO ME GUSTA!** *(opéra savon)*

Le nouveau
4x4 Canyonero

SOIXANTE-CINQ TONNES DE VANITÉ MAL PLACÉE !

Home cinéma
Grâce au lecteur de DVD à écran tactile intégré au tableau de bord, vous pouvez être distrait à tout moment !

Écoute facile /
Mode d'emploi difficile™
Chargeur de 62 disques et lecteur MP3 d'une capacité de 500 To !

Notre système exclusif de **Phares Extra Imagerie à Résonance Magnétique (IRM)** vous permet de voir à travers les murs !

OFFRES DE FINANCEMENT SPÉCIALES POUR NON-TITULAIRES DU PERMIS DE CONDUIRE !

Communication
Avec notre standard pour téléphone portable à 16 canaux, vous ne raterez plus jamais un appel. Standardiste non inclus.

GPS · Global Parenting System
Vous ne mettrez plus jamais un enfant dans le coffre par erreur.

LE PACKAGE SPÉCIAL FRIME DE CANYONERO COMPREND DE NOMBREUX ACCESSOIRES EXCLUSIFS ET PARFAITEMENT INUTILES

Pare-broussaille ! • Téléski ! • Tourelle pour mitrailleuse ! • Canon à eau !
• Ancre de haute mer ! • Fixation pour bazooka !

Consommation réduite
Réservoir de 270 l avec système exclusif d'auto-immolation (explosion garantie ou remboursée).

Capacité
Jusqu'à 35 passagers (ou 42 avec un seuil de douleur plus élevé).

Prêt pour le pique-nique
Soute de 16 tonnes !

Pour les dames !
Découvrez notre ligne féminine, la **F-series**, qui vous permettra d'assortir la garniture des sièges à vos chaussures ! Séchoir pour vernis à ongles inclus.

Pour les hommes !
Intérieur aromatisé, avec parfum steak (non disponible sur la F-series).

Système audio avec capteur de marche arrière
Permet de couvrir tout hurlement déplaisant si vous écrasez la clôture du voisin ou son conjoint.

VENEZ DÉCOUVRIR POURQUOI LE CANYONERO EST SURNOMMÉ

la Cadillac des automobiles

LES ASTUCES DOMESTIQUES DE MARGE

Con-Combres

Top croquants !

1) Utilisez la magie du marketing ! Comment les légumes peuvent-ils concurrencer les friandises, céréales et yaourts de grandes marques ? Facile : utilisez les mêmes procédés ! Mettez vos légumes dans des boîtes colorées, avec des logos criards et des mascottes rigolotes que vous aurez dessinés vous-même !

2) Libérez le Godzilla qui dort en eux ! Sculptez d'innocents personnages en légumes ! Vos enfants arracheront joyeusement d'un coup de dents leur tête, si délicieusement nutritive !

3) Rendez vos enfants jaloux ! Achetez un lapin et faites-lui d'interminables câlins à chaque fois qu'il mange une carotte.

manger
à vos enfants !

4) Ne reculez devant aucune ruse ! Remplacez les cacahuètes des barres chocolatées par du céleri ! (Il faut un peu d'entraînement.) Insérez des morceaux de navet au milieu des bonbons dans les distributeurs PEZ® ! Utilisez du colorant alimentaire pour teindre des graines de soja, et mettez-les dans des paquets de M&M's® !

5) C'est pas du gâteau... Mais c'est le jeu ! Préparez des gâteaux de carottes composés de 90 % de carottes et de 10 % de gâteau.

6) Le millefeuilles ! Vous vous souvenez, quand vous étiez enfant, comme c'était amusant de s'enfouir sous un tas de feuilles mortes ? Recréez ce jeu en plaçant les enfants sur une bâche et en déversant sur eux une grande quantité de feuilles de salade ! (attention : ne pas utiliser de sauce)

★ MÉGA-

"Si c'est pas en stock chez NOUS

AU RAYON FRUITS ET LÉGUMES

BANANES
DU GORILLE GOINFRE

69¢ / LIVRE
FAITES BON USAGE DE VOS
POUCES OPPOSABLES !

SALADE FANÉE

39¢ / LIVRE

RAISINS AIGRES

2,99$ / LIVRE

POMMES MACINTOSH

99¢ / PIÈCE
(À TÉLÉCHARGER)

AU RAYON BOUCHERIE ET ÉQUARRISSAGE

FESSES DE PORC
DE QUALITÉ INFÉRIEURE
3,39$ / LIVRE

CÔTELETTES
DE SELLES DE CHEVAL
4,19$ / LIVRE

AGRICULTURE

SUBVENTIONNÉE

Carcasses et abats
Satisfaction garantie

PRODUIT SUBVENTIONNÉ
TRAVERS DE PORC
AUX HORMONES
4,69$ / LIVRE

PRODUIT SUBVENTION
VIANDE ET NERF
RECONSTITUÉS
2,39$ / PIÈCE

MARCHÉ ★

y'en a pas besoin chez VOUS !"

ON LES ATTRAPE, VOUS LES ACHETEZ !

NOUVEAU !

POISSON FANÉ SURGELÉ
de Captain' Krusty

POISSON FANÉ SURGELÉ
DE CAPTAIN' KRUSTY
PAQUET DE 12
4,99$ AVEC COUPON DE RÉDUCTION

Ce coupon doit être parfaitement découpé le long de la ligne pointillée et présenté à la caisse exactement trois secondes avant que l'article soit scanné. Sinon, **SON PRIX SERA DOUBLÉ.**

Chips
AUX ERSATZ
DE PATATE

CHIPS AUX ERSATZ
DE PATATE
2 POUR 6$

DONUTS
GRAISSEUX
LÉGÈREMENT PÉRIMÉS
2,29$ LA BOÎTE DE 11

HOT-DOGS
SANS OS

HOT-DOGS
SANS OS
2,69$
LE PAQUET DE 10

★ MÉGA-

CÉLIBATAIRE ?
N'OUBLIEZ PAS LE RAYON ALCOOL !

SALAUD DE COCO
VODKA
4 POUR 7$

GNÔLE
DES APPALACHES
1,19$

BIÈRE DU
GOULU
ENGLOUTISSEZ UN PACK !
7,59$ LE PACK DE 6

BIÈRE
DUFF
SPÉCIAL CUITE :
PACK DE 72
CANETTES GÉANTES
99,99$

BIÈRE FUDD
LA BIÈRE
DES BOUSEUX
5,39$ LE SEAU

MARCHÉ ★

POUR LE GOÛTER
APRÈS L'ÉCOLE
CRYSTAL BUZZ COLA
SPÉCIAL HYPERACTIFS :
MAXI BOUTEILLE DE 4 LITRES
8,99$

LES BOÎTES POUR CHAT
DU PRÉSIDENT MIAOU
MADE IN CHINA AVEC DE LA MÉLAMINE !
5 POUR 2$ (BOÎTES DE 200 G)

CROQUEZ LA PUISSANCE
DES POMMES !
COMPOTE ÉNERGIE
4 POUR 5$

GEL DOUCHE
DU FOSSÉ IRLANDAIS
BIDON DE 30 L
2 POUR 12$

LA HONTE DE LA NATURE
SLIPS D'INCONTINENCE

2 POUR 8$

*CHEZ MÉGA-MARCHÉ,
NOUS SAVONS À QUEL POINT IL EST
IMPORTANT POUR VOUS D'ACHETER DES
TONNES DE TRUCS. C'EST POURQUOI NOUS
VENDONS LES PRODUITS LES MOINS CHERS
DANS DES PACKS DE GRANDE CONTENANCE.
NOS MAGASINS SONT DE SIMPLES
ENTREPÔTS PLEINS DE COURANTS D'AIR,
CE QUI NOUS PERMET DE RÉALISER DE
GROSSES ÉCONOMIES. NOS BÉNÉFICES SONT
DONC PLUS IMPORTANTS ET C'EST NOTRE
PDG QUI EN PROFITE.*

LES **CHRONIQUES** DE **SPRINGFIELD**

La vie secrète de la femme d'Homer

IL N'Y AURA JAMAIS AUCUN SECRET ENTRE NOUS, MARGE ! JAMAIS AU GRAND JAMAIS ! SAUF SI, BIEN SÛR, L'UN DE NOUS DEUX VEUT CACHER QUELQUE CHOSE À L'AUTRE.

POURTANT J'AVAIS UN SECRET : J'ÉTAIS INSATISFAITE, LASSE DE MA VIE DE FEMME AU FOYER. JE RÊVAIS DE TROUVER UNE ACTIVITÉ EXCITANTE POUR OCCUPER MES JOURNÉES, MAIS JE N'AVAIS AUCUNE IDÉE...

PUIS UN JOUR, À LA LIBRAIRIE...

TIENS, MARGE SIMPSON ! JE VOIS QUE TU FLÂNES DANS LE RAYON DES *ROMANS D'AMOUR TORRIDES*...

OH ! BONJOUR, RUTH.

LITTÉRATURE FÉMININE

JE CHERCHE À REMPLACER MON EXEMPLAIRE DE *JANE EYRETÉTÉ*, DE CHARLOTTE BRONTË... LE CHIEN A ARRACHÉ LES 244 DERNIÈRES PAGES AVANT QUE JE PUISSE FINIR DE LE LIRE.

JANE EYRETÉTÉ

JEAN COCTEAU LES ENFANTS TERRIBLES

OOOH. DES ROMANS GOTHIQUES, AVEC DES HÉROÏNES FORTES, MAIS SENSIBLES. DES PERSONNALITÉS SOUS INFLUENCE BYRONIENNE, C'EST ÇA ?

EN FAIT, J'AIME SURTOUT LE PASSAGE SUR LES PAUVRES ORPHELINS QUI REÇOIVENT ENFIN UN BON PLAT CHAUD.

BENJAMIN SPOCK COMMENT SOIGNER ET ÉDUQUER SON ENFANT

BIEN SÛR. JE DOIS DIRE QUE TU ME SURPRENDS, MA CHÉRIE.

JE TE PRENAIS POUR UNE DE CES *ÂMES PERDUES* QUI HANTENT LES RAYONS PSYCHOLOGIE ET SPIRITUALITÉ.

TU SAIS CE QU'ON DIT, IL NE FAUT PAS JUGER UN LIVRE À SA COUVERTURE.

VA DONC DIRE ÇA AU PAUVRE TYPE PAYÉ UNE MISÈRE POUR CES ILLUSTRATIONS.

L'AMANT DE LADY WIMBLEDON

PEUT-ÊTRE QUE TU VOUDRAIS FAIRE PARTIE DE MON CERCLE DE LECTURE POUR DAMES RAFFINÉES ?

BIEN SÛR, J'EN SERAIS *RAVIE* !

L'ENFANCE C'EST L'ENFER

J'ÉTAIS AUX ANGES ! RUTH POWERS M'AVAIT PROPOSÉ DE REJOINDRE LA JET-SET DANS SON CERCLE DE LECTURE ! J'ALLAIS ENFIN LAISSER DERRIÈRE MOI MA PÉRIODE DÉPRESSIVE DE FEMME AU FOYER DÉSŒUVRÉE !

TA-DAAA ! *ATTENTION SPRINGFIELD,* VOICI *MARGE SIMPSON,* NOUVEAU MEMBRE D'UN CERCLE DE LECTURE UUUULTRA-CHIC !

À SUIVRE...

Un corset, c'est corsé !

BIBLIOTHÈQUE ROSE : LES ROMANS D'AMOUR TORRIDE PRÉFÉRÉS DE MARGE

- L'amant de Lady Wimbledon
- LE ROBUSTE LABOUREUR
- LA VIRILITÉ DU COCHER
- L'IMPUDENCE DU VALET EXCITÉ
- RAVAGÉE PAR LA PROSE POURPRE DE LA PASSION
- Le plombier musclé et son outil polyvalent
- LE VASTE DOMAINE DU COMTE REDBLOOD
- LE TIROIR SECRET DE LA SECRÉTAIRE
- Un corset trop serré
- L'épée dégainée du lieutenant
- L'artisan vulgaire mais séduisant

Sous la culotte du pasteur

LE GENTILHOMME ET SA BONNE

VIRGIL, UN HOMME VIRIL

Dans l'office du majordome

Dans la cabane avec madame

La monture de Milady est sellée

Le mystère de la dame du château

À LA COUR DU COUREUR

L'ENCOMBRANT PAQUET DU POSTIER

Le Lord et la timide soubrette

LA GOUAILLE DU GOUJAT

AU FOND DU FOIN : Le jeune valet d'écurie

L'étrange demande du gendarme

L'anguille du poissonnier

Les abdos du capitaine de paquebot

Le corsaire et le corsage

LES 24 TYPES DE MÈRES AUX

La meneuse paranoïaque
du groupe d'autodéfense

La femme
quasi invisible

La voleuse d'hommes
épanouie

L'alcoolique
en rémission

La super cool

La spécialiste
du mélodrame

RÉUNIONS DE PARENTS D'ÉLÈVES

La carriériste
séduisante

La divorcée
libérée

La forte
en gueule

La vieille
mégère

La femme au foyer
vaguement insatisfaite

La meilleure maman
du monde de l'univers

L'arriviste
à tout prix

La faiseuse
de veuves

La trop polie
pour être honnête

L'adepte
de la manière forte

L'accusatrice

La bourgeoise
coincée

La mère/sœur/
cousine/nièce

La femme d'affaires
ambitieuse

La blonde

La dominatrice

La super-reproductrice

Le papa poule
dévirilisé

maggiemaman

Un blog entier consacré à

| LES PETITES ASTUCES | MDR MAGGIE |

LES PETITES ASTUCES

Les trois C
Que faire quand vos journées
sont occupées par les Couches,
les Caprices et les Chutes.
LIRE/POSTER UN COMMENTAIRE

Plus de petits pots ?
Pas de panique : voici une liste
de restes que l'on peut aisément
passer au mixeur, et que l'on
trouve dans tous les frigos.
LIRE/POSTER UN COMMENTAIRE

**Du pesticide pour
les pestiférés**
Quand mon fils aîné est revenu
de l'école avec des poux, j'étais
furieuse et honteuse.
LIRE/POSTER UN COMMENTAIRE

Mon bébé et moi
Je suis elle comme elle est moi
et nous sommes tous
ensemble ! Gou gou ga gou !
LIRE/POSTER UN COMMENTAIRE

La dèche à la crèche !
Toute la vérité sur certains
services de garderie.
LIRE/POSTER UN COMMENTAIRE

MDR MAGGIE

VEUX MA TOTOTE !

J'AI VOLÉ LE CŒUR DE MAMAN
MAIS JE SUIS INNOCENTE.

LA LITIÈRE C MON
BAC À SABLE.

PTDR ! CACA DANS LE BAIN !

MARGE EN DIRECT

Surtout ne me parlez pas de ces couches
soi-disant anti-fuites !
LIRE/POSTER UN COMMENTAIRE

Mais pourquoi avoir remplacé l'émission
de Bébé Einstein par Bébé Nullos ?
LIRE/POSTER UN COMMENTAIRE

.com

RECHERCHE

MON BÉBÉ

ON S'ENTEND PLUS BLOGUER

LES BILLETS D'HUMEUR DE WALL E. WEASEL

ALIMENTS RECRACHÉS CETTE SEMAINE

Maïs en crème

Courges et navets

Petits pois et bacon

Brocoli et saucisse

Purée de banane

Haricots des surplus de l'armée

Nuggets de poulet

Bouillie d'avoine en purée

LIENS PAR CATÉGORIES

Bidou Bidou

Gagou Gaga

Bisou Bisou

Guili Guili

Gazou Gazou

Doudou Tout Doux

Tototes En Stock

LIENS VERS DES BLOGS DE MAMANS

Elle en tient une couche

Mon bébé : Harvard ou rien !

Mes remarques sur les enfants des autres

L'heure du dodo, c'est l'heure du Punch Coco

Gou Gou Google

Maman, elle en a jusque-là

Les avantages fiscaux des enfants

RÉSULTATS DU DERNIER CONCOURS

Pour le concours du plus beau bébé, les 2 462 candidats ont terminé *ex æquo* (chaque maman ayant voté pour le sien).

COMPTEUR DE CHUTES QUOTIDIENNES DE BÉBÉ

Comment inciter vos enfants à jouer dehors

1) Acclimatez-les au climat ! Il arrive parfois qu'on soit très occupés (par exemple quand mon mari a été poursuivi en justice pour avoir mangé une statuette en beurre qui récompensait un prix). Mes enfants passent alors plusieurs mois sans jouer dehors. Dans ce cas, je commence par les réhabituer à "la nature" en installant notre salon dans le jardin. Le simple fait de regarder la télé au grand air constitue une première étape importante pour les inciter à jouer dehors.

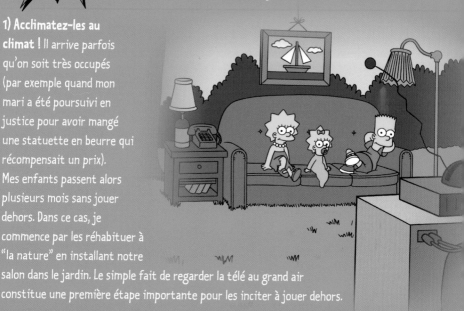

2) Utilisez la dépendance des enfants à la télé en votre faveur ! Cachez la télécommande quelque part près de chez vous et dites-leur qu'ils ont une heure pour la retrouver, sinon elle s'auto-détruira. Regardez ces petits accros courir partout !

3) Utilisez le chien pour sortir les enfants ! A) Attachez-les à la laisse du chien. B) Faites cuire du bacon. C) Fixez le bacon à un vélo. D) Enfourchez le vélo : le chien vous poursuivra, les enfants poursuivront le chien.

4) Frappez un grand coup ! Vos enfants passeront des heures à jouer dans le jardin si vous leur donnez une bonne motivation ! Une fois par semaine, je leur mets une ceinture lestée, je leur donne un bâton, et j'accroche à un arbre, juste hors de leur portée, une piñata remplie de bonbons !

5) Pour le ciné, il faut se bouger ! Proposez à vos enfants d'aller voir un film qui leur fait TRÈS envie. Puis vingt minutes avant le début de la séance, annoncez-leur qu'il n'est pas question d'aller au cinéma en voiture.

6) Faites-leur la peur de leur vie ! Pendant que les enfants sont à l'école, cachez autour de la maison des enceintes diffusant des CD de bruitages et d'effets sonores effrayants, préparez des flaques de faux sang, éteignez certains radiateurs pour que des pièces soient glaciales et demandez à vos voisins de se déguiser en fantômes. Quand vos chères têtes blondes rentrent, annoncez-leur d'un air horrifié que vous venez d'apprendre que la maison a été construite sur un cimetière indien, qui fut plus tard le théâtre d'un horrible accident. Puis laissez la peur s'installer ! Avec un peu d'efforts, vous pouvez transformer votre foyer en un lieu macabre et angoissant où vos enfants ne voudront pas rester une minute de plus !

7) Six pieds sous terre ! Tous les enfants ont un objet fétiche : un ours en peluche, une couverture, une poupée ou même un raton empaillé (pour ceux qui n'ont pas de copains). Il suffit alors d'enterrer profondément l'objet en question pour que le bambin aille s'activer en plein air !

VIVE LES VINYLS !

La collection de disques de Marge

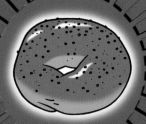

The Fantastic Jefferson Electric Bagel

Psychedelicatessen

Major Chutney's Bleeding Hearts Club Orchestra – Best O

Jackson Denver – Le Cowboy solitaire et égocentrique

Men Without Pants – La chanson des caleçons

The Larry Davis Experience – Live à la prison de Springfield

The Fantastic Jefferson Electric Bagel – Psychedelicatessen

Buffalo Bruce Springfield – Born in Springfield

Footdance – Bande originale du film

The Motown 5 – I Just Called to Say Baby, Baby, Baby, Baby, Oh, Baby

Les Sex Agénaires – Never Mind the Dentiers, Stop à la violation de mes copyrights

Les Surf Boys – Fils de pub

John Coyote Melonhead – Ballades spéciales pour 4x4

Spandex – Disco Stretch

Les Hôtesses de l'air – Détachez vos ceintures

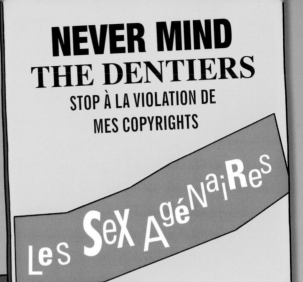

FRANK PYJAMA
PAR KIRK VAN HOUTEN

*Le crooner
à la
brosse à dents*

LES BEATNIX
STOP,
DROP,
et
BOP

Frank Pyjama – Le crooner à la brosse à dents

Joanie Twitchell – Ce que j'ai mangé,
au petit déjeuner

Barbra Stressman – Moi et mon ego

Will E. Neilson – J'ai pris la grosse tête et
mon bandana est trop petit

Pêche à la Mode - Super-Synthesize Me

Les Beatnix - Stop, Drop et Bop

Pillage People - La crève du samedi soir

Squirmin' Hawkins - Do the Squirm!

AbbaZabba - Blue Suède Shoes

Willie et les Kilts - Abbé Road

Des coiffures avec

La queue
du cheval bleu

La femme
du républicain

Farrah Faussée

Les nattes
qui épatent

Le ruban d'annonce

Retour vers le futur

de l'allure !

DOUZE COUPES POUR CHEVEUX BLEUS

Blue Panther

La nouvelle vague

La dépression nerveuse

La malédiction
de la momie

Tata Rasta

À la Marge

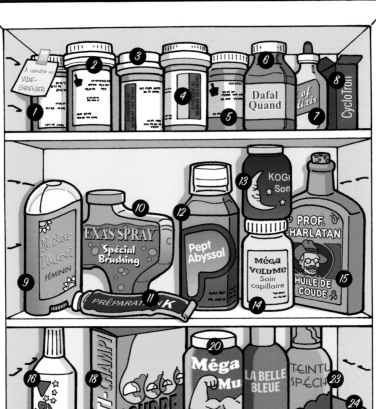

Une visite guidée de
L'ARMOIRE À PHARMACIE
de Marge

1. ZoZo™ Antidépresseur prétraumatique
2. AKoiBon™ Spécial Déprime
3. Cpagrave™ Atténuateur de désespoir
4. La pilule de la minute d'après™ Contraceptif oral
5. OxyMoron™
6. DafalQuand™ Antidouleur à retardement
7. Oil of Elixir Additif pour crème de pommade
8. CycloTron™ Anti-douleurs menstruelles
9. No Sueur Déodorant féminin
10. Texas Spray Spécial Brushing
11. Préparation K
12. PeptAbyssal
13. KOGrododo™ Somnifère
14. MégaVolume Soin capillaire
15. Prof. Charlatan Huile de coude
16. FluoCarie™ Dentifrice
17. KesTuDis™ Produit anti-cérumen
18. Poudre Anti-Champi
19. Gel de massage au napalm
20. MégaMusclor™ (les stéroïdes de l'épisode *Les muscles de Marge*)
21. La Belle Bleue Shampoing volumateur
22. Fil Dentaire D'enfer
23. Teinture Spéciale Cheveux Bleus
24. Bouchons de Nez Stop-Ronflette

LES **CHRONIQUES** DE **SPRINGFIELD**

La vie secrète de la femme d'Homer

COMMENT FAIRE DEUX CHOSES EN MÊME TEMPS ! HÉ HÉ !

LE MARDI SUIVANT, TOUTE EXCITÉE, JE ME PRÉCIPITAI DÉPOSER MAGGIE À LA CRÈCHE POUR FILER À MA PREMIÈRE RÉUNION DU CERCLE DE LECTURE POUR DAMES RAFFINÉES !

DÉSIREUSE DE FAIRE BONNE IMPRESSION, J'AVAIS PRÉPARÉ UN PLATEAU D'AMUSE-GUEULES.

MÊME LES DAMES LES PLUS SOPHISTIQUÉES NE PEUVENT PAS RÉSISTER AUX FEUILLETÉS À LA SAUCISSE !

BONJOUR, RUTH ! J'ESPÈRE QUE JE NE SUIS PAS TROP EN AVANCE. J'ÉTAIS SI *IMPATIENTE* DE VENIR, JE NE POUVAIS PLUS ATTENDRE !

TU ES PILE À L'HEURE, MA CHÉRIE...

...STU, SERS UN MARTINI À MARGE !

RIEN N'AURAIT PU ME PRÉPARER À LA SCÈNE DE DÉBAUCHE QUE JE DÉCOUVRIS ALORS, HORRIFIÉE...

MOI, DISCO STU, JE DIS : "POUR BIEN DÉMARRER L'APRÈS-MIDI, RIEN DE TEL QU'UN BON MARTINI !".

SERS-LUI UN DOUBLE, STU. ELLE N'A PAS L'AIR DANS SON ASSIETTE.

MAIS... CE N'EST PAS UNE RÉUNION DU *CERCLE DE LECTURE* ?!

OH TU SAIS MIDGE, MOI JE SUIS JUSTE LÀ POUR BOIRE ET DRAGUER.

BONTÉ DIVINE ! LE CERCLE DE LECTURE N'ÉTAIT DONC QU'UNE COUVERTURE POUR DES FÊTES *CLANDESTINES* OÙ SE RETROUVAIENT TOUTES LES *LIBERTINES* DE SPRINGFIELD !

À SUIVRE...

Accommoder les restes ... et d'économiser

1) Quand le pain de viande se transcende ! Les restes de pain de viande sont parmi les plus faciles à réutiliser. Utilisez une cuillère à glace pour en faire des boulettes ! À l'aide de ciseaux, façonnez des lettres et apprenez à lire à bébé ! Ou encore, coupez le pain de viande en petits morceaux et servez-le dans une soupe composée de deux tiers de moutarde, un tiers de ketchup !

2) Les carcasses, c'est sensass ! Que vous ayez mangé une dinde, un poulet ou du bœuf, gardez toujours les os ! Car OS = BOUILLON, ce qui permet de faire de la soupe à partir de n'importe quoi ! Conservez toujours quelques litres de bouillon au congélateur. L'un des ragoûts préférés de Homer était composé de bouillon congelé, de restes de poulet, d'une vieille pizza, de persil et de porc chinois à la sauce aigre-douce !

3) Les frites, c'est chic ! Les restes de frites peuvent être réutilisés d'innombrables façons : en purée, en hachis ou même en gratin ! Les frites peuvent aussi remplacer les **pâtes** : des frites carbonara ? Et pourquoi pas ! Elles peuvent aussi remplacer le **pain** ! Ou même la **farce** ! Le jour de Thanksgiving, des vieilles frites se révéleront idéales pour fourrer une dinde, avec un peu de céleri, du sel et du poivre ! Et il y a aussi les **sushi** ! Les **gaufres** ! Mélangez les frites avec du beurre de cacahuète, versez dessus une bonne dose de sirop et votre famille n'y verra que du feu !

une bonne façon de s'amuser à la fois !

4) La sauce pimentée est votre meilleure alliée !
À chaque fois que je passe dans le quartier
mexicain de Springfield, je m'arrête toujours
pour acheter une bouteille de sauce au piment
"Spécial Gringo Loco". Grâce à cette technique,
n'importe quels restes peuvent être ressuscités !
Si vous avez un morceau de saumon qui approche
du point de non-retour, il suffit d'y ajouter une
bonne dose de sauce piquante !

5) C'est meilleur au mixeur ! Que vous ayez des
restes de steak haché, de crevettes ou de petits pois,
vous pouvez aisément les réutiliser le lendemain en
passant le tout au mixeur. Ajoutez quelques épices, et
servez sur des pâtes !

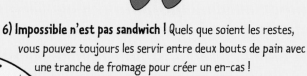

6) Impossible n'est pas sandwich ! Quels que soient les restes,
vous pouvez toujours les servir entre deux bouts de pain avec
une tranche de fromage pour créer un en-cas !

7) En cas de doute, sortez la friteuse ! Je tiens
comme évidente la vérité suivante sur la cuisine
américaine : tout ce qui est frit est délicieux.
Que ce soit le rôti d'hier ou des restes de
choux de Bruxelles, quand c'est frit, tout le
monde est ravi !

MON ALBUM PHOTOS D'ADO

PAR MARGE BOUVIER, PHOTOGRAPHE AMATEUR

ANNIE LEIBOVITZ, PRENDS GARDE ! MOI AUSSI, JE SUIS UNE VRAIE PHOTOGRAPHE ROCK AND ROLL... ET VOILÀ LES CLICHÉS QUE J'AI PRIS AU

TREMPLIN ROCK DU LYCÉE !

LORS DU **FEU DE CAMP ANNUEL**, LES FLAMMES ONT EMBRASÉ LA VOITURE DU PRINCIPAL DONDELINGER ET LES POMPIERS ONT DÛ INTERVENIR.

HOMER ET BARNEY TRINQUANT LE JOUR DE LA REMISE DES DIPLÔMES. PEUT-ÊTRE LA DERNIÈRE FOIS QUE CES DEUX GRANDS AMIS ÉTAIENT ENSEMBLE AU COMPTOIR !

LAISSEZ-PASSER

HOMER N'A PAS PU OBTENIR SON DIPLÔME AVANT DE PAYER SES AMENDES DE BIBLIOTHÈQUE. MAIS GRÂCE À SON LAISSEZ-PASSER, IL A PU RENDRE VISITE UNE DERNIÈRE FOIS À SES COPAINS DE DORTOIR.

MA PHOTO LA PLUS CONNUE : ARTIE ZIFF EMBRASSANT PAR SURPRISE UNE CAMARADE LE JOUR DE **LA LIBÉRATION** (LES VACANCES).

HOMER AIDANT LE VICE-PRINCIPAL CHALMERS
POUR UNE DÉMONSTRATION LORS DU
COURS D'ÉDUCATION CIVIQUE.

MME BUTTERWORTHY, LA PROFESSEUR
D'INGÉNIERIE DOMESTIQUE DU LYCÉE
DE SPRINGFIELD. LA LEÇON DU JOUR
"UN INGRÉDIENT DE TROP : PROBLÈME ?

LES POM-POM GIRLS
DU LYCÉE, À L'ORTHOGRAPHE
MALHEUREUSEMENT
APPROXIMATIVE.

LE CLUB THÉÂTRE EXPLORANT
DES THÈMES ADOLESCENTS DANS
"EN ATTENDANT GODOT".

LE CLUB DES FUTURS PROFESSEURS D'ÉDUCATION PHYSIQUE EST DEVENU TRÈS POPULAIRE QUAND ON A APPRIS QUE TOUS SES MEMBRES ÉTAIENT DISPENSÉS DE GYM.

FUTURS PROFESSEURS D'EPS

UN AUTO-PORTRAIT DANS LE VESTIAIRE DES FILLES.

PORTRAIT DE PATTY ET SELMA, LE JOUR DE LA REMISE DES DIPLÔMES. CLICHÉ EN NOIR ET BLANC, PRIS DURANT MA PÉRIODE DIANE ARBUS.

LES VISAGES DU BONHEUR
Une sélection de portraits réalisés par Marge Simpson

ARRANGEMENT BLEU PERVENCHE ET TERRE DE SIENNE : PORTRAIT DE LA MÈRE DE L'ARTISTE
Modèle : Jacqueline Bouvier
Crayon sur mur

L'une de mes premières œuvres. Selma a juste eu le temps de prendre une photo avant que maman m'ordonne de nettoyer le mur du salon.
Souffrant pour l'art comme toujours, j'ai été privée de dessert.

UN GARÇON DANS LE VENT ▶
Modèle : Ringo Starr
Stylo bille sur cahier d'écolier

Croquis préparatoire pour un portrait de mon batteur préféré, réalisé durant ma période beatlemaniaque. La version finale est dans le château de M. Starr, sur la Tamise !

L'ADONIS CHAUVE ▲
Modèle : Homer Simpson
Latex sur carton

Ce portrait obsédant et énigmatique de mon mari (rêvant peut-être des côtes de porc de sa femme) m'a valu le premier prix à la foire d'art contemporain de Springfield.

CENSURÉ

FULL MONTY BURNS ▶
Modèle : Montgomery Burns
Huile sur toile

Même si j'ai refusé de l'admettre sur le moment, la remarque d'encouragement de M. Burns ("Taisez-vous et peignez !") était exactement ce dont j'avais besoin.

NOTRE PIONNIER BIEN-AIMÉ
Modèle : Jebediah Obadiah
Zachariah Jebediah Springfield
Impression jet d'encre sur papier
Une proposition que j'avais envoyée au
ministre des Postes et Télécommunications
pour la série de timbres commémoratifs
"Les pères fondateurs de l'Amérique :
test de paternité". J'attends toujours
une réponse par la poste. ▼

JE SUIS TON PÈRE, SPRINGFIELD !

Jebediah Obadiah Zachariah Jebediah Springfield

42USA

▲ **PORTRAIT DE MA LISA**
Modèle : Lisa Simpson
Feutre sur essuie-tout
Je sais que la Joconde est le tableau le plus célèbre au monde,
mais je ne vois pas ce qu'il a de si mystérieux. Quelle jeune fille
pourrait avoir un sourire enjoué en portant une tenue aussi triste

◄ LES LARMES DU CLOWN
Modèle : Krusty le Clown
Huile sur velours noir
Inspirée par les portraits lugubres
de Red Skelton, j'ai voulu montrer
le visage caché derrière la façade
d'un amuseur public.

AUTOPORTRAIT ►
AVEC OREILLE BANDÉE
Modèle : Marge Simpson
Huile sur sac
Une œuvre réalisée après un incident
plutôt déplaisant dans le magasin
"Au couteau merveilleux".

PROGRAMME

**La soirée théâtre du personnel auxiliaire
de la prison pour femmes de Springfield**

Le personnel auxiliaire de la prison pour femmes de Springfield
présente

Je n'ai jamais dit
"Je te l'avais bien dit !"

Un one-woman show musical
avec
MARGE SIMPSON

Livret de
MARGE SIMPSON

Musique de
LISA SIMPSON

Paroles de
MARGE SIMPSON

Basé sur une remarque de
MARGE SIMPSON à HOMER SIMPSON

Costumes, décors et cadeaux pour les acteurs conçus par
le Centre Universitaire de Springfield

Direction artistique
PROFESSEUR LOMBARDO

Coiffure de Mme Simpson
LE SALON "TIRÉ PAR LES CHEVEUX"

Mise en scène
LLEWELYN SINCLAIR

Spectacle nominé pour les Récompenses de la Route nationale 95™
dans la catégorie "Interprétation la plus pénible"

L'interprète

MARGE SIMPSON a fait ses débuts sur scène en interprétant Blanche Dubois dans la comédie musicale "Un tramway nommé Marge", au foyer municipal de Springfield. Parmi ses prestations dramatiques passées, citons la scène qu'elle a faite au magasin d'aspirateurs au sujet du prix des sacs. Elle remercie son mari Homer, et ses enfants Bart, Lisa et Maggie. Ah ! Et elle remercie Dieu aussi.

Numéros musicaux

Acte I
Ouverture
"T'ai-je jamais dit 'Je te l'avais bien dit' !"
"Je ne crois pas que ce soit une bonne idée"
"On devrait s'arrêter pour demander le chemin"
"Tu ne crois pas que tu as assez bu ?"
"Attends que ça refroidisse, tu vas te brûler"

Acte II
"Je ne crois pas que ça se mange"
"Attention ! La peinture n'est pas encore sèche"
"On ferait mieux d'appeler un électricien"
"Tu es bien sûr d'avoir éteint ?"
"Tu vois ?"

Le théâtre du personnel auxiliaire de la prison pour femmes de Springfield. Divertissement maximum, sécurité minimum.

Quelques critiques choisies à propos de

Je n'ai jamais dit "Je te l'avais bien dit !"

"Je n'ai jamais dit 'Je te l'avais bien dit' !" est une comédie musicale douce-amère, où une femme fait étalage de ses ressentiments vis-à-vis de son mari. La sensibilité à fleur de peau de Marge Simpson donne à son interprétation interminable tout le piquant d'un fromage bien avancé."
— *Les annonces de Springfield*

"S'il est une femme qui a une bonne raison de monter un spectacle pour se plaindre de son âne bâté de mari, c'est bien Marge Simpson."
— *Petite Demoiselle, le petit magazine des demoiselles*

"Marge Simpson offre une interprétation marathonienne, faisant preuve d'une remarquable endurance au fil des 98 minutes et demi du spectacle. Malheureusement, nous nous sommes fatigués bien avant elle."
— *Hebdo Drama*

"Probablement soulagé que cette épreuve soit terminée, le public a bruyamment applaudi à la fin du spectacle, ce qui a malheureusement mené Marge Simpson à massacrer neuf chansons de plus, au mépris du danger encouru par nos tympans."
— **Kent Brockman,** *Springfield en Direct*

Pour vous plaindre de détenues crachant dans la nourriture en servant à manger, veuillez appeler la ligne spéciale : 1-800-JE-BALANCE.

MME **KRAPABELLE** ! VOUS NE DEVRIEZ PAS ÊTRE À L'ÉCOLE ?

RELAX, MME SIMPSON. LES ENFANTS SONT EN VISITE NON SURVEILLÉE D'UNE USINE D'EXPLOSIFS.

MAIS IL N'Y A DONC PERSONNE DE RESPECTABLE ICI ? ON DIRAIT QUE VOS VICES ET PERVERSIONS VOUS ONT FAIT PERDRE TOUT SENS MORAL !

OUI-I-I !

OH LÀ LÀ ! COMMENT AI-JE PU ÊTRE SI AVEUGLE ? QUELLE HONTE...

CE SOIR-LÀ, J'AVOUAI TOUTE L'HISTOIRE À MON MARI, PERSUADÉE QU'IL ALLAIT ME REJETER AVEC MÉPRIS. MAIS AU LIEU DE CELA, IL M'A SERRÉ TRÈS FORT DANS SES BRAS AIMANTS !

ET JE PROMIS DE NE PLUS JAMAIS LIRE DE LIVRE !

OH, HOMER ! JE SUIS TELLEMENT SOULAGÉE DE T'AVOIR TOUT RACONTÉ SUR CE CLUB MÉPRISABLE ET INFÂME.

ENFIN, **PRESQUE TOUT**, MARGE... CAR TU NE M'AS PAS DIT S'IL RESTAIT DES **PETITS FEUILLETÉS À LA SAUCISSE** ?

FIN

1) Rendez votre maison moins confortable !

L'été, mettez le chauffage à fond, l'hiver, allumez la clim' ! Faites cuire des choux toute la nuit ! Mettez des CD avec effets sonores de bruits désagréables ! Mettez la chaîne parlementaire à la télé et "égarez" la télécommande ! Votre famille ira se réfugier à l'église en un temps record !

LE BEST OF DU DR WOLFE : 10 SONS DE ROULETTES,

2) Les voyages forment la messe !

Préparez le petit déjeuner préféré de toute la famille... Et servez-le dans la voiture ! Quand tout le monde s'installe pour manger, démarrez en trombe !

3) Culpabilisez-les !

Utilisez cette bonne vieille tactique éprouvée dans le monde judéo-chrétien depuis des siècles ! Voici quelques phrases efficaces : "Ça me rend si heureuse quand on est tous ensemble à l'église. Mais bon, je peux juste l'imaginer dans ma tête...", "J'ai promis au révérend qu'on serait tous là, il va me prendre pour une menteuse. Tant pis...", "Dieu fait tant pour nous... Mais ce n'est pas grave, allez-y, dormez".

a famille arrive
e dimanche matin !

(marche aussi pour les mosquées et les synagogues !)

) **Faites croire à votre famille que dimanche est lundi !** Mettez dans votre magnétoscope un nregistrement des programmes télé du lundi et réveillez tout le monde pour se préparer à une ure semaine ! Au lieu de les déposer à l'école ou au travail, amenez-les à l'église et annoncez qu'on st dimanche ! Pleurez de joie et dites que c'est un miracle ! Avec un peu de chance, votre famille era ravie d'aller à la messe !

) **Essayez le camouflage !** Avec
es rideaux, des bouts de carton
t des rouleaux d'essuie-tout,
ransformez l'église en poney
lub, en bowling, ou même en
n Krusty Burger étonnamment
ropre ! ATTENTION ! Mieux vaut
emander la permission du prêtre,
e l'imam ou du rabbin. Dans mon
as, le révérend Lovejoy a trouvé
ue c'était une excellente idée et
a même financé le matériel.

) **Pensez au chloroforme !** En plongeant les membres de votre famille dans un sommeil profond,
ous pourrez les endimancher facilement et les faire livrer à l'église par des déménageurs ! En plus,
os enfants ne se chamailleront pas pendant la messe ! En revanche, prévoyez un bavoir (pour la bave).

) **En dernier recours, changez de religion !** Il existe beaucoup de cultes excitants qui utilisent
es soucoupes volantes, des sous-vêtements ou des galettes de pomme de terre. Si les membres de
otre famille rechignent à aller à l'église, discutez ensemble de ce qui les ferait quitter leur lit pour
n lieu de culte le dimanche (ou tout autre jour de célébration de votre nouvelle religion dingo !).

EN KIOSQUE PRÈS DE CHEZ VOUS !

Feuilletez-le ! (mais ensuite n'oubliez pas de vous laver les mains car il est sûrement plein de germes, avec tous ces gens sales qui touchent à tout).

La lettre du S.N.U.H.

Les Springfieldiens pour la Non-violence, l'Unité et l'Harmonie

"Montrez-leur ce qu'un cinglé peut faire !"

La lettre de la présidente :

Que fait le SNUH pour vous ?

Très chers concitoyens,

Je dois vous avouer que les tentatives de certains membres du SNUH d'utilise[r] l'association comme déversoir de leurs frustrations m'inquiète quelque peu. Je sais bie[n] que la plupart d'entre nous sont nerveux de nature, voire même hypersensibles, mai[s] honnêtement, je ne comprends pas que l'on puisse s'offusquer du fait que les chiens et le[s] chats se promènent nus dans la rue.

Sincèrement non violente,
Marge Simpson

LISTE DE DESSINS ANIMÉS INTERDITS

"Meurs ! Meurs ! Espèce de sale rat !"
"Mes amis à la moulinette"
"Félin Malsain"
"Tu donnes ta langue au chat ?"
"Toi, moi, et du TNT"
"Il pleut des pianos !"
"Plus mort que mort"
"Aplati comme une crêpe"
"Minou est devenu fou !"

"Quand mon chat fait boum"
"Les couteaux, c'est beau"
"Réservé aux démembrés"
"Dynamite, napalm et miaulements"
"Chat échaudé craint l'eau froide"
"Réduit en mille petits morceaux"
"Avoir ou ne pas avoir (de queue)"
"La souris qui fait des âneries"
"Chasseur de rats"

COMMENT SE DÉBRANCHER
OU COMMENT J'AI APPRIS À VIVRE SANS TÉLÉ,
SANS JEUX VIDÉO ET SANS INTERNET

Note de la présidente : le volontaire censé écri[re] cette rubrique a été victime de bouffées délirante[s]. Il subit actuellement un traitement au[x] électrochocs à la clinique de la Forêt Calme. Cet[te] rubrique sera donc révisée pour la prochain[e]

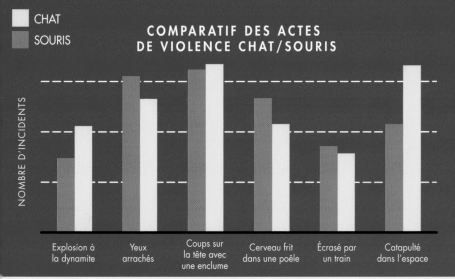

LES STATISTIQUES DU DERNIER ÉPISODE D'ITCHY & SCRATCHY

CHAT
SOURIS

COMPARATIF DES ACTES DE VIOLENCE CHAT/SOURIS

NOMBRE D'INCIDENTS

Explosion à la dynamite
Yeux arrachés
Coups sur la tête avec une enclume
Cerveau frit dans une poêle
Écrasé par un train
Catapulté dans l'espace

À compléter et envoyer aux élus de votre État :

✂

Très honorable _____
Chambre des Représentants des États-Unis
Washington, D.C.

Madame, monsieur,

Je sais que vous avez des affaires plus importantes à régler que le degré insensé de violence dans les dessins animés pour enfants. Néanmoins, les enfants d'aujourd'hui seront les adultes de demain.

Je demande donc à la Chambre des Représentants de voter une loi interdisant les actes de violence entre chat et souris, ainsi que les mariages entre chat et souris (ce qui est tout aussi dépravé).

Merci et bonne sieste,
Sincèrement,

(votre nom ici)
Citoyen/Citoyenne des États-Unis

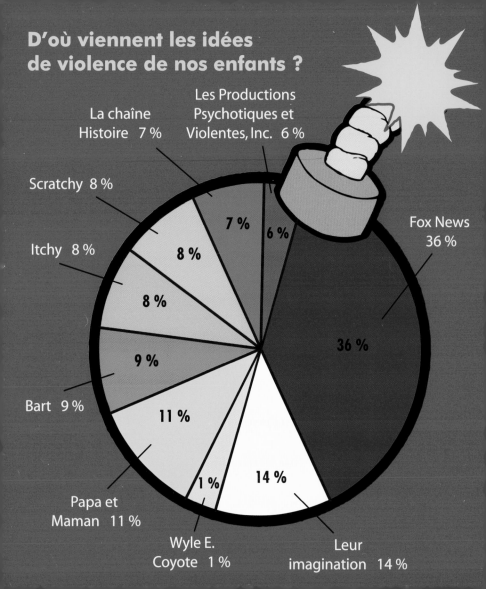

LES MÉTHODES MILITANTES

E BOYCOTT - Tant qu'ils n'ont pas cédé, ne rien acheter !

A DÉSOBÉISSANCE CIVILE - N'oubliez pas d'insister sur le second mot.

ES MANIFESTATIONS - Les événements sociaux comme les réunions Tupperware euvent être inclus dans cette catégorie.

E JEÛNE - À ne pas essayer le ventre vide.

ES MARCHES - Surtout continuez d'avancer, sinon vous risquez le délit d'intention.

A PERSUASION MORALE - Faire appel au sens moral de vos adversaires eut être efficace (sauf pour les dirigeants des aaînes de télé).

A NON-COOPÉRATION - Je tiens cette éthode d'un expert : mon fils.

A RÉSISTANCE PASSIVE - Demande plus e travail qu'on ne le croit.

ES PÉTITIONS - J'ai pu constater que les gens ont prêts à signer n'importe quoi pour se ébarrasser de vous.

ES PIQUETS DE GRÈVE - C'est un peu comme ne marche, mais on tient des banderoles et on arche en faisant des cercles.

ES SIT-IN - Inutile d'essayer chez soi, ça ne marche pas.

A GRÈVE - Refuser de faire quelque chose dont l'autre a besoin et qu'il ne peut faire i-même (comme ramasser les poubelles ou écrire des scénarios).

ES VEILLÉES - C'est un peu comme les piquets de grève, mais avec des bougies à la ace des banderoles, et un air triste plutôt que furieux.

ASSOCIATIONS AMIES

SPADA
Société Protectrice des Animaux dans les Dessins Animés

OCCS
Opposants aux Combats entre Chats et Souris

MLFAJV
Mouvement de Libération des Femmes Aimant Jurer au Volant

CDEVFM
Citoyens Déterminés à Empêcher leurs Voisins de Faire Mieux

IOTA
Individus Opposés à Tout Acronyme

CJMT
Ceux qui en ont Juste Marre de Tout

Éditeur
Presses du Peuple Protestataire

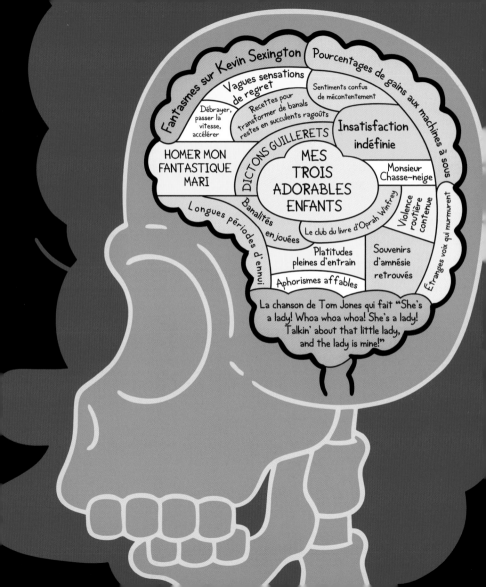

LA LISTE NOIRE DE MARGE

Les jouets les plus dangereux du monde !

BIENVENUE DANS LE *MONDE EFFRAYANT DES JOUETS* ! EN TANT QUE MÈRE DE TROIS ENFANTS ET ÉPOUSE D'HOMER, JE SUIS BIEN PLACÉE POUR SAVOIR QUE CERTAINS FABRICANTS *SANS SCRUPULES* N'HÉSITENT PAS À VENDRE AUX *ESPRITS NAÏFS* DES PRODUITS DANGEREUX. VOICI DONC LA LISTE DES JOUETS *STRICTEMENT INTERDITS* DANS MA MAISON !

LES HARPONS DE
CAPTAIN KRUSTY®
"Plus drôle que les fléchettes !"

Une idée rayonnante !
MONTY BURNS
LE KIT ÉNERGIE ATOMIQUE POUR ENFANTS™
Des heures d'amusement, d'action et de fission !

ONCLE SAM
LA TORTURE DE LA PLANCHE À EAU
Pour une impression de noyade authentique !

ONCLE SAM
LA TORTURE DE LA PLANCHE À EAU
Pour une impression de noyade authentique !

LÉONARD DE VINCI
KIT DE PEINTURE PAR NUMÉRO, AVEC PEINTURE AU PLOMB

LE PETIT CHIEN POMPIER®
PYJAMA INFLAMMABLE

LE GAG QUI SURPREND DEUX FOIS !
COUSSIN PÉTEUR LACRYMO
Pour faire rire, pleurer et vomir !

COUSSIN LACRYMO

L'ÉPÉE POINTUE DE JACK LE PIRATE

G.I. JOHN
ACCESSOIRE POUR FIGURINE LANCE-FLAMMES LONGUE PORTÉE AU BUTANE

LE LABO TOXIQUE™ DU
PROFESSOR FRINK
101 expériences aussi distrayantes que risquées !

ELECTRICOR

ELECTRICOR
CHAISE ÉLECTRIQUE EN KIT
Prête à brancher !

FABRIQUE TA PROPRE CHAISE ÉLECTRIQUE

PRÊTE À BRANCHER !

ÉTOUFF'OURS®
LE BONBON QUI COLLE

ÉTOUFF'OURS®
LE BONBON QUI COLLE
Voir au dos du paquet les instructions
pour la manœuvre de Heimlich !

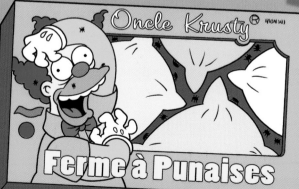

Oncle Krusty®

Ferme à Punaises

*FERME À
PUNAISES DE*
**L'ONCLE
KRUSTY®**
Gratouillis garantis
toute la nuit !

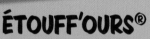

DVDTHÈQUE

Les films de fille préférés de Marge

- LE BAIN MOUSSANT DU PATIENT ANGLAIS
- Nos plus frêles années
- *Titanic en Afrique*
- **Tant qu'il y aura des femmes**
- LE VOISIN DE LA SŒUR DE LA FEMME DU LIEUTENANT FRANÇAIS
- BURGER *SUR* CANAPÉ
- VOUS AVEZ UN SPAM
- LE PORT DE LA POISSE

Le mariage à la grecque de l'officier et du gentleman

QUATRE MARIAGES, UN ENTERREMENT ET UN PASSAGE À LA TEINTURERIE

Nuits rances à Seattle

Bisous volés

Quand Harry et Sally rencontrent Thelma et Louise

Chambre avec vue sur la boutique au coin de la rue

Autant en emporte l'amant

Le seigneur des anneaux de fiançailles

Le mariage trop parfait de mon meilleur ami

1 GARÇON, 1 FILLE, 1 BARRE CHOCOLATÉE, 3 POSSIBILITÉS

PRETTY PROSTITUÉE

La marraine II

Trois hommes et l'impossible M. Bébé

LA MARIÉE ÉTAIT EN ROSE

BLAZER ROUGE

COOKIE KWAN

500 M² POUR FRIMER DANS LES BEAUX QUARTIERS !

Venez découvrir la quintessence du luxe, dans une somptueuse résidence qui rendra vos amis verts de jalousie ! Chaque pièce est conçue de façon que les visiteurs se sentent tout petits ! Nombreuses pièces inutilisées !

Vue panoramique sur les quartiers pourris de l'autre côté de Springfield.

NUMÉRO 1 À L'OUEST !

GIL GUNDERSON

TOUTES LES OFFRES SONT ÉTUDIÉES. TENTEZ VOTRE CHANCE ! S'IL VOUS PLAÎT...! PAR PITIÉ !

CHARME RUSTIQUE !

Maisonnette idéalement située et bien desservie (sortie bretelle Michael Jackson Expressway). Proche tous commerces : magasin de spiritueux et prêteur sur gages, ouvert 24h/24. Trou au plafond pour aération et luminosité de la cuisine. Salle de bain séparée. Clôture à l'extérieur et à l'intérieur. Jardin assez spacieux pour accueillir quatre épaves de voiture.

IMMOBILIER

RÉSIDENCE DE LUXE GARAGE MAHAL

"L'excellence bien au-delà de votre fruste goût personnel."

Réservez dès maintenant sur plan pour la Résidence de Luxe Garage Mahal, actuellement en construction. 1 200 m² d'appartements hors de prix, à partir

de 6 799 900 $. Vue splendide sur les marécages protégés !* Pourquoi vivre dans la réalité quand le rêve est à portée de main ! Aucun apport nécessaire, financement à 300 %, prêt possible pour les seuls intérêts. Trop beau pour être vrai ? À vous de voir !

*Site futur de Garage Mahal Phase II.

NICK CALLAHAN

AGENT EXCLUSIF POUR LA RÉSIDENCE DE LUXE GARAGE MAHAL

PETITE MAISON, IDÉALE POUR JEUNE COUPLE ! *(en fait de petite, elle est vraiment très très petite)* **Cuisine récemment rénovée !** (mais quand même exiguë selon moi). **Accès aisé aux commerces et restaurants !** (mais proche d'une rue bruyante et très fréquentée). **Peinture et moquette refaites à neuf !**

MARGE SIMPSON

LA MEILLEURE AMIE DES ACHETEURS !

(ce qui est bien, mais on se demande toujours si ça ne cache pas quelque chose.) **Venez visiter !**
(et n'hésitez pas à amener un électricien, car l'installation ne me semble pas aux normes).

LES CADEAUX D'ANNIVERSAIRE

De la part de Lisa

Un parrainage d'un poney
orphelin à Jackson Hole,
dans le Wyoming.

L'essai "Discours de la méthode
de ménage : Je pense donc
j'essuie" par Destartes.

Un coupon donnant droit
à un repas végétarien
préparé par Lisa.

Un solo de sax de neuf minutes
intitulé "Le Blues des
Cheveux Bleus n°52".

De la part de Bart

Un bâton qui ressemble à Marge.

"Des œufs brouillés aux yeux
arrachés : 500 recettes de crados".

Un demi-paquet de bonbons
(avec une reconnaissance de dette
pour l'autre moitié).

Un portrait en légumes,
réalisé par le célèbre artiste
conceptuel Milhouse.

LES PLUS NULS REÇUS PAR MARGE !

(et aussi quelques-uns de bien)

De la part de Homer

Un flacon de "La déesse au foyer, parfum signé Roseanne".

Un couvre-canette "La meilleure des mères, la meilleure des bières".

Un dessous de plat aux couleurs de l'équipe des Dallas Cowboys.

Une boîte de sauce pour pâtes "NYPD Blue" ("On n'en fabrique plus, c'est collector !").

Une passoire XXL.

Une figurine personnalisée du Dodu Donut.

Une pizza géante avec plein de choses dessus (y compris des crevettes, auxquelles Marge est allergique).

De la part de Maggie

Un bracelet en argent du joaillier Tiffany.

Un abonnement au Club des fruits pour gourmets.

Un incroyable CD de mix.

Un bonnet de douche XXXXL.

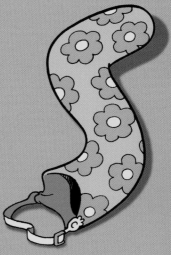

Un 45 tours de 1963 en parfait état : "Act Naturally" des Beatles, dédicacé par Ringo Starr.

LE TOP 40 DES TRUCS
SELON MARGE

1. LES ZÉRO CALORIES.
2. LA VENTE ITINÉRANTE DE BRETZELS.
3. LES REPRÉSENTANTS INSISTANTS.
4. LES PRIX QUI MONTENT.
5. LE SKI DE DESCENTE.
6. LES MONTAGNES.
7. LES TAUPINIÈRES.
8. LA MALVEILLANCE.
9. LES ACTES GRATUITS DE VIOLENCE AVEUGLE.
10. ITCHY.
11. LES ACTES AVEUGLES DE VIOLENCE GRATUITE.
12. SCRATCHY.
13. LES ACTES VIOLENTS D'AVEUGLEMENT GRATUIT.
14. LA FÊTE DE LA BIÈRE DUFF.
15. L'AUTEUR ET PHILOSOPHE AYN RAND.
16. LES SOTTISES.
17. LES PORTES DE GARAGE ÉLECTRIQUES.
18. L'APPAREIL GÉNITAL DE M. BURNS.

NULS

19. BATMAN.
20. LES BRISEURS DE PROMESSE.
21. LES PRENEURS D'OTAGES.
22. LES FABRICANTS DE JOUETS CONTENANT DU PLOMB.
23. SOULEVER DES OBJETS LOURDS.
24. LA NOURRITURE TROP LOURDE.
25. LA PEUR DE L'AVION.
26. LES MONORAILS.
27. LES PAINS DE VIANDE TROP SECS.
28. LES COUVERTURES MOUILLÉES.
29. Y LAISSER DES PLUMES.
30. LES BAINS TIÈDES.
31. LES COOKIES TROP CUITS.
32. LE THÉ TROP FORT.
33. LES ARMES À FEU.
34. LES ALLUSIONS PLEINES D'INSINUATIONS.
35. LES COUCHES PLEINES.
36. LES FEMMES AU BORD DE LA CRISE DE NERFS.
37. LES GENS QUI DISENT "DE RIEN"
AU LIEU DE "JE VOUS EN PRIE".
38. TOUT CE QUI EST TRANSAT, RELAX, HAMAC...
39. TROUVER UN CHEVEU DANS MA SOUPE.
40. LE CÉRUMEN.